ÉDIKA

DÉSIRS EXACERBÉS

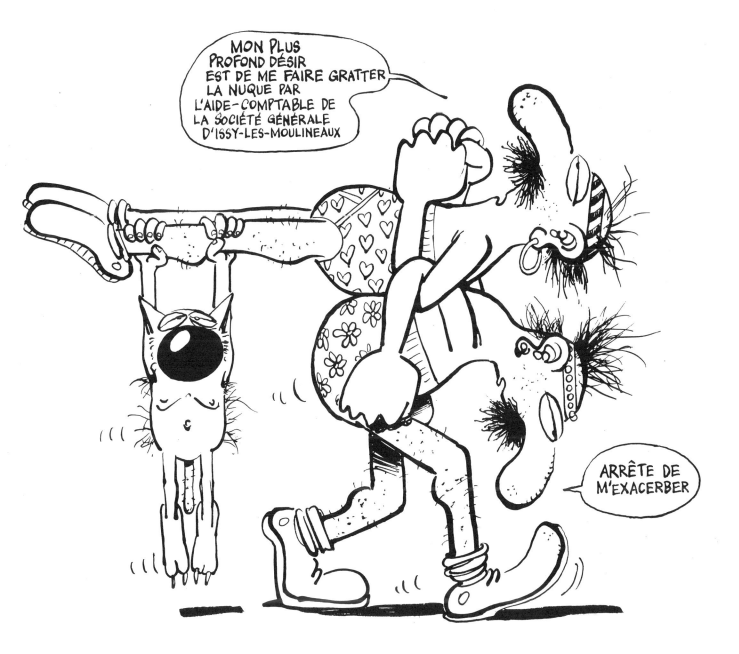

SOMMAIRE

LA NOUVELLE FAMILLE SOCIALISTASS!

8

QUI C'EST QUI A ENREGISTRÉ ÇA SUR MON, **MON** MAGNÉTOSCOPE?!

QUI? QUI?!!

BEN C'EST TOI, TU TE RAPPELLES PAS?

MOI?

BEN OUAIS, TU L'AS ENREGISTRÉ IL Y A ENVIRON NEUF MOIS DE CHEZ ROBERT KHLAT, TU AVAIS MÊME PAYÉ 25 FRANCS DE LOCATION PLUS 500 FRS. DE CAUTION, ET TU AS RENDU LA CASSETTE EN RETARD, LE MEC N'A PAS VOULU TE RENDRE TES 500 FRS, MAIS TU N'AS PAS OSÉ PORTER PLAINTE PAR PEUR DU SCANDALE TU TE SOUVIENS?

QUOI?! LE FILS DU MEC QUI A GAGNÉ AU LOTO?

VIENS, VIENS MA CHÉRIE SUR LES GENOUX DE TON PAPOUNET, ALLEZ HOP

GUI Z'EST GUI VA DILE À SON PETIT PAPOUNÉNÉ GOMMENT IL Z'APPELLE LE BEDIT GOPAIN À MA FIFILLE HEIN? QUIII?

C'EST TONY BANTALONY

TOG. PAF

OUVREZ SI VOUS ÊTES UN HOMME

QU'EST-CE QUE C'EST?

HÉ BIEN C'ÉTAIT À PROPOS DE MA PETITEUH...PETITE EUUUH... MAAA--MM MA PETITE CHORALE ON VIENT D'ORGANISER UNE PETITE CHORALE À L'ÉGLISE. KEUH...ÇA, ÇA VOUS DIT DE CHANTER AVEC NOUS DIMANCHE PROCHAIN C'EST LE PÈRE MATHIEU QUI NOUS DIRIGE

C'EST UNE CHORALE

C'EST MIEUX QUE LA CHORALE "À CHŒUR JOIE"

AH OUAIS MOI J'AIME BIEN CHANTER DES CHANSONS, "TOUUUT SALONNN LES PROFESSIONNELS DU SIÈGE" PAR-TEZ À CONFO-RAMAAA

OUI MAIS IL FAUT SAVOIR FAIRE DO, MI, SOL DOOO SANS FAUSSER

VOYONS FAITES DO-MI-SOL-DOOO

DO-MI-SOL-DOoooo

DOOO

NON, LE DEUXIÈME DO ÉTAIT FAUX

DOO

FAITES COMME MOI. DO, MI SOL DOOO

DOOOooo

NON PLUS HAUT DOOO, DOOO

DOoo

ÉDIKA.82

12

Histoire d'un couloir

14

JE – VEUX CHIER !
JE – VEUX CHIER !
JE – VEUX CHIER !

JE VAIS T'ACCUSER À PAPA, T'VAS VOIR TA, T'VAS VAR, CE QU'A TA YAS VAR, T'VAS VAR

POV' MEC

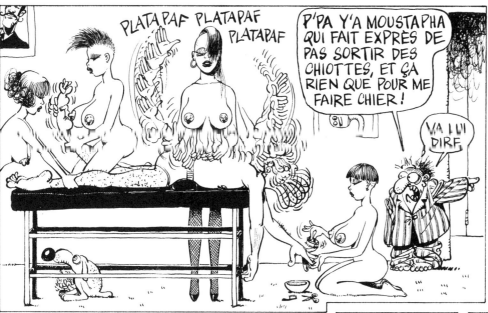

PLATAPAF PLATAPAF PLATAPAF

P'PA Y'A MOUSTAPHA QUI FAIT EXPRÈS DE PAS SORTIR DES CHIOTTES, ET ÇA RIEN QUE POUR ME FAIRE CHIER !

VA LUI DIRE

PLAPAF PLAPAF

ÇA N... ÇA N... P...PP... PEUT PAS ATTT... ATTT... ATTTEINDRE ?

MAIS ÇA FAIT TROIS HEURES QU'IL EST DEDANS ET EN P IL ME RÉPOND MÊME PA

HOG

C'EST QUE HEUF... C'EST QUE HEUF... JE SUIS TRÈS Z'OCC HEUF, Z'OCC HEUF... Z'OCCUPÉ...

OUAIS MAIS MOI QUAND JE PÈTE EN BUVANT MON CAFÉ AU LAIT, TOUT LE MONDE M'ENGUEULE PASSQUE C'EST DÉGUEULASSE CE QUE JE FAIS LÀ À CAUSE DES GAZ QUI PUENT

TÉLÉPHONE-MOI YAHAY APRÈS YUHOUAHA DIX-HUIT HEURES AYYOUH

DIX-HUIT HEURES ? ATTENDS... AH ! JE PEUX PAS J'ASSISTE À LA TRAVIATA À L'OPÉRA

NON ! NON ! PAS ÇA ! JE SUIS UN ANCIEN PROF DE GÉOGRAPHIE !

C'EST FOU HEIN ? IL QU'IL Y AIT UNE TO PETITE DIFFICU POUR QUE TU FI TES RESPONSABIL TU N'AS AUCUNE ENVERGURE. TU NÉ PETIT ET TU R TOUTE TA VIE PET PETIT

CECI DÉPAS.

HEUMF

BONK

?

AAAAAAA

MON DIEU!

MERDE JE VAIS...

MAIS QU'EST-CE QUE TU FOUS LÀ ? DONNE-MOI TA MAIN, MAIS DONNE MOI TA MAIN !

ADIEU MES ENFANTS ADIEU MA FEMME ADIEU MON CHAT ADIEU MA MAITRESSE ADIEU LE CAFÉ AU LAIT DU PETIT MATIN, ADIEU LIO ADIEU MES ORGANES INTIMES, ADIEU ALICE SAPRITCH ADIEU TÉLÉ À LA CON DE MES DEUX, ADIEU ÉGYPTE, ADIEU LUIS RÉGO ET PIERRE DESPROGES, ADIEU MON PYJAMA ROSE À RAYURES, ADIEU JERRY LEWIS. AD...

QUE VOIS-JE ?! QU'ENTENDS-JE ?

LA PORTE !

THE BEST NIAGARA WITH MARYLIN MONROE

ÉDIKA 1.83

CHEZ BOUL'MICH

VOYONS CE QUE DIT LE DICTIONNAIRE, AH OUI, EH BEN OUI C'EST BIEN CE QUE JE PENSAIS: CAFÉ: [kafe] n.m. (ital. *caffè*; de l'arabe *quahwa*). Syn. de CAFÉIER. || Graines enfermées par deux dans le fruit (drupe rouge) de cet arbuste et contenant un alcaloïde et un principe aromatique. || Infusion faite avec ces graines torréfiées. || Lieu public où l'on prend du café et d'autres boissons. || Café au

HEP GARÇON!

SNAP

UN CAFÉ SIOU PLAIT

AH! VOUS ÉTIEZ LÀ ?! OH! OLA! JE M'EXCUUUSE, JE VOUS AVAIS PAS VUUU. MAIS OÙ AVAIS-JE LA TÊTE ?

OH QU'IL EST SYMPA CE GARÇON! QU'IL EST MIGNONNN GENTIL, GENTIL GARÇON, LÀ, LÀ

C'EST BIEN ÇA C'EST BIEN

NON MAIS REGARDEZ-MOI CE BEAU NŒUD DE PAPILLON! DIS-DONNNC! ATTENDS IL N'EST PAS TRÈS DROIT...VOIIILA! SUPPPÈÈR, ET CETTE COULEUR COMME ELLE VOUS VAAAT

MAIS DITES-MOI. JE VAIS SAUTER DU COQ À L'ANE MAIS JE VAIS VOUS POSER UNE QUESTION QUI VA PEUT-ÊTRE VOUS PARAÎTRE SAUGRENUE ET IMMORALE DE PRIME ABORD

JE NE SAIS PAS SI JE PEUX ME PERMETTRE L'AUDACE DE CROIRE QUE VOUS PUISSIEZ ACCEPTER DE COMPRENDRE LA PENSÉE QUI TRACASSE MON SUBCONSCIENT, MAIS VOILA, J'AI UNE EXIGENCE ASSEZ SPÉCIALE. EST-CE QUE VOUS AURIEZ PAR HASARD DE CE LIQUIDE NOIR LÀ, DANS LEQUEL ON MET PARFOIS DU SUCRE, ? NE ME RÉPONDEZ PAS TOUT DE SUITE. TOURNEZ LA TÊTE LENTEMENT VERS MOI MAIS RÉPONDEZ-MOI SANS ME REGARDER NE BOUGEZ PAS VOS LÈVRES

CAFÉ!

TOC!

OUH...OUH OULOULALOU

BON. JE POSE SUR LA TABLE UNE TASSE DE CAFÉ, ET UNE TASSE DE CICONA EN PROMOTION AVEC REMBOURSEMENT D'UN FRANC APRÈS AVOIR RENDU LE BOCAL VIDE.

BUVONS D'ABORD LE CAFÉ

ONG ... ONG ...ONG

QUE CONSTATE'JE ?

AAAHH!...C'EST... C'EST CHAUD, ÇA FAIT DU BIENNN

ET MAINTENANT BUVONS LE CICONA EN PROMOTION AVEC REMBOURSEMENT D'UN FRANC APRÈS AVOIR RENDU LE BOCAL VIDE

ONG ONG ONG

QUE CONSTATE'JE ?

BAÏNG!

PAR CONSÉQUENT ?

PAR CONSÉQUENT, MOI DONC, HEIN? MOI HEIN? MOI, EN CONCLUSION, ET COMME SUITE LOGIQUE À CES PRÉMICES, ET EN DÉFINITIVE MAIS ALORS COMPLÈTEMENT, MOI DONC VOULOIR BOIRE ÉVIDEMMENT CAFÉ ET PAS CICONA !!!

VOUS COMPRENÈRE ?

VOUS PAS COMPRENÈRE

BON ÇA CHAISE VIDE ET ÇA TABLE. OKAY ?

SUPPOSONS QUE FILLE SUPERBE AVEC NICHONS PARTOUT ASSISE SUR CHAISE

MOI ICI HOMME NEW LOOK AVEC CRAVATE TRÈS FINE EN CUIR NOIR, RELACHÉE ET COL DE CHEMISE OUVERT COMME NOUVEAU CHANTEUR JEAN-JACQUES GOLDMAN

SOYONS ATTENTIFS

POURQUOI TOUT ÇA ?

OUI POURQUOI ?

BON OKAY

OKAY

BON PREMIÈREMENT JE VAIS PAS M'ÉNERVER.

DEUXIÈMEMENT JE VAIS PAS VOUS FOUTRE MON POING DANS LA GUEULE, NI TOUT CASSER, SINON PHILIPPINI VA DIRE WOUAiiii, CH'AIS PAS QUOiii, LES MECS DE FLUIDE C'EST TOUJOURS LES MÊÊÊMES, LA MISE EN PAGE NE CHANGE PAAAS ET CETÉRAA BON.

TROISIÈMEMENT, CE MOIS-CI DIAMANT M'A DEMANDÉ DE DESSINER SEPT PAGES ET À GOOSSENS IL EN A DEMANDÉ HUIT, TU REMARQUES? MOI SEPT ET LUI HUIT. C'EST TRÈS SUBTIL. NON MAIS CES DÉTAILS HEIN ÇA COMPTE. MOI JE FAIS SEMBLANT DE RIEN MAIS HEIN... NON MAIS SI TU SAIS L'ATMOSPHÈRE QU'IL Y A DANS CE BUREAU, LES REGARDS FUYANTS TOUT ÇA, C'EST FOU C'EST FOU ET PENDANT CE TEMPS Y A LES SOCIALISTES QUI ESSAYENT DE TROUVER UNE SOLUTION POUR SE SORTIR DE LEUR MERDIER ET QUE DISAIS-JE IL FAUT DONC QUE JE M'EN SORTE AVEC CETTE PHRASE À LA CON DANS LAQUELLE JE ME SUIS EMPÊTRÉ...

NON ÉCOUTE, ÉCOUTE-MOI, REGARDE-MOI DANS LES YEUX, TU COMPRENDS, IL FAUT ÊTRE SÉRIEUX DE TEMPS EN TEMPS ET EN CET INSTANT JE NE PEUX PAS, NON JE NE PEUX PAS, NE PAS PENSER À HERGÉ, JE M'EN FOUS, JE M'EN FOUS, OUI JE SAIS, IL Y A DES CHOSES QU'ON DIT PAS MAIS ÇA TU COMPRENDS J'AI PAS PU... HERGÉ C'ÉTAIT ...C'ÉTAIT...ENFIN C'ÉTAIT HERGÉ QUOI C'ÉTAIT TINTIN C'EST UNE PARTIE DE MON ENFANCE, TINTIN, MILOU, HADDOCK, DUPONT et DUPOND TOURNESOL, GASTON

NON GASTON C'EST FRANQUIN

AH OUI... EUKH... EX... EXCUSE-MOI... C... C'EST L'ÉMOTION... AL... ALORS... C'EST FINI TINTIN?... PLUS JAMAIS?... J'AR... J'ARRIVE PAS À CROIRE... ET... ET DIRE QUE J'AI PAS ENCORE PU TROUVER UN TRUC POUR PASSER LA FRONTIÈRE AVEC PLUS DE 2.000 FRANCS!!

OÙ? OÙ LES CACHER?! COMMENT FAIRE?! Envoyez vos solutions au journal. Le premier gagnera un abonnement d'un mois à "Valeurs Actuelles". S'adresser à Philippe Manœuvre

MAIS?!!... MAIS?!!... MAIS VOUS PARLÂTES! JE ME TROMPE PAS! VOUS PARLÂTES! WAHAA! ENFIN! ENFIN AHLALAA JE N'Y CROYAIS PLUS!

ET POUR MONSIEUR CE SERA?

UN CAFÉ S'IL VOUS PLAIT

ÉDIKA 3.83

Pipi, Caca, et autres Fariboles

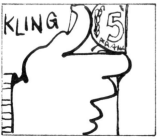

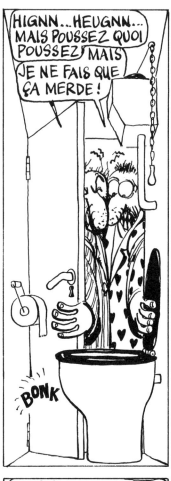

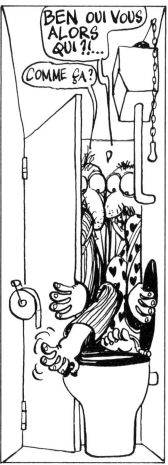

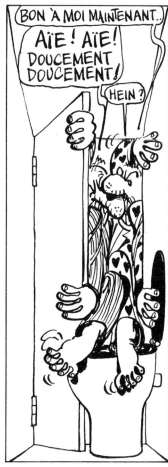

AA !

↑ MERDE !

Tremblement de ma main dû au fait que Pierre Despro vient de m'insulter sur France-Inter sans m'avertir alc que j'écoutais une émission dont je ta nom. M'insulter moi ? moi qui ai tant fai pour la France en demandant au directeur de FR3 de raccourcir le temps d'antenne à M. Cyclopède ?! Moi, un père de famille qui ai le courag de ne pas porter une boucle d'oreille Moi qui ose danse le tango égyptien en pyjama rose rayé c'es inc

AZ
OGZ
ZK
UV

CHLOFT CHLOFT

STOK

OVHUB OVHUB

MORALITÉ: TOUTES LES CHAISES SONT DES PUTAINS SAUF LA TIENNE ET LA MIENNE, MAIS DE LA TIENNE J'EN DOUTE.

ÉDiKA 83.

LES DOUANIERS SONT SYMPAS

TOUT LI MONDE DISCENNND ?!

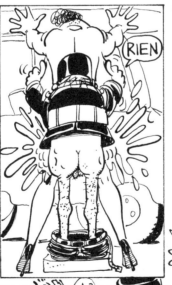

43

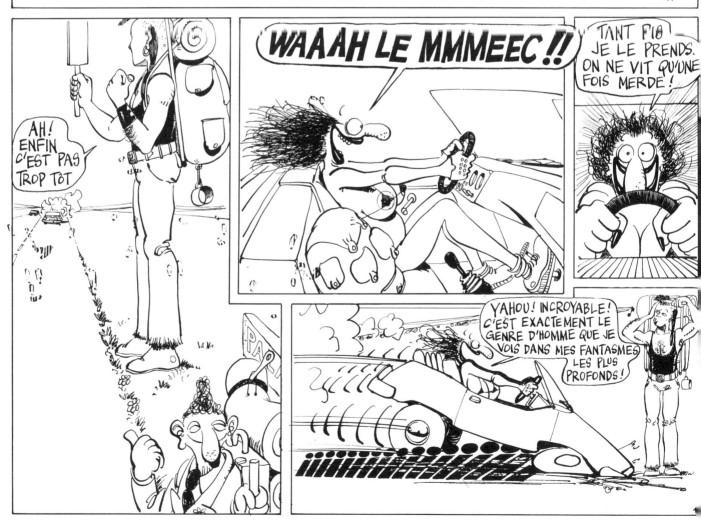

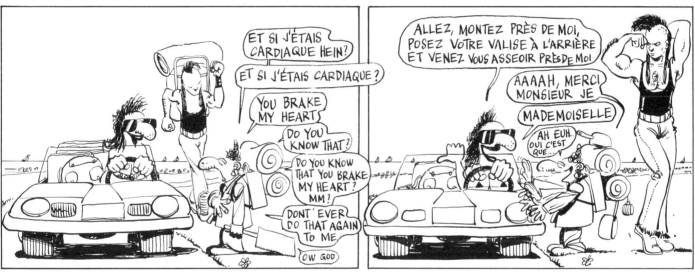

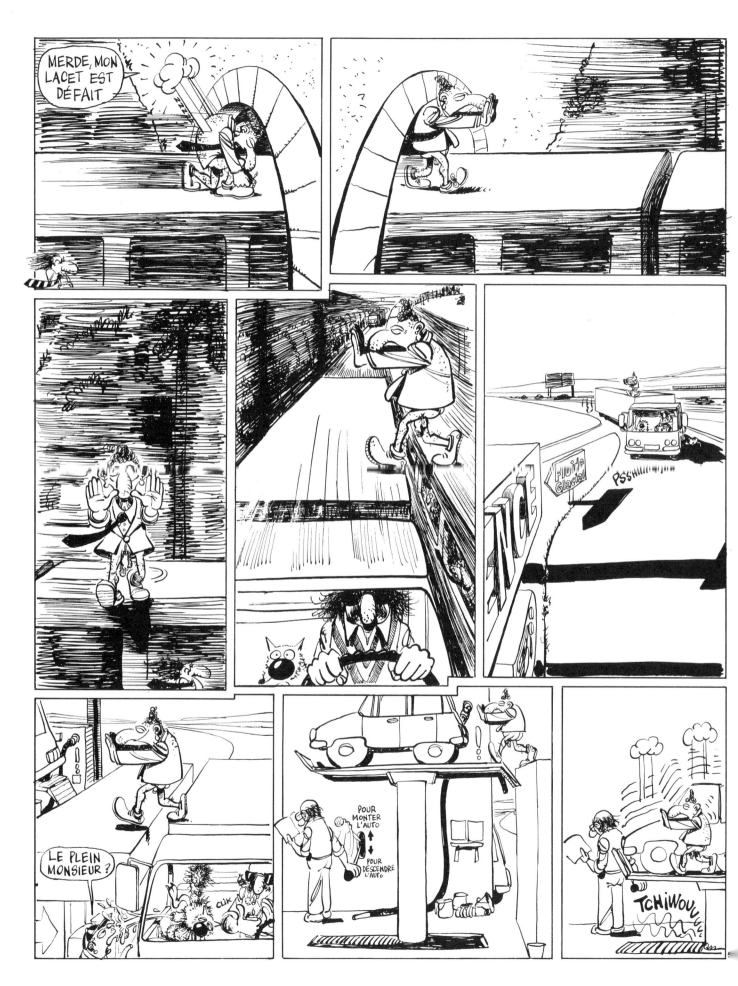

50

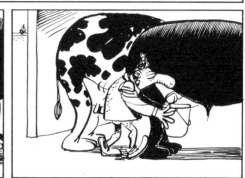

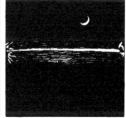

Les albums FLUIDE GLACIAL

—LE TYPE A REMPLACÉ LE BÉBÉ PAR UNE MARIONNETTE ET ALORS ÇA FAIT RIRE DONC RIONS ENSEMBLE WAHHAHAHAY.
—MAIS T'ES CON, FALLAIT PAS EXPLIQUER LE GAG, ÇA FOUT TOUT EN L'AIR
—AH BON? BON ALORS J'AI RIEN DIT.

Editions AUDIE 120 bis, bd du Montparnasse 75014 Paris. Tél. : 43.20.23.96
Imprimé par A.C.R.I., 50, rue Damrémont 75018 Paris. Tél. : 42.64.61.87 en décembre 1987. Numéro d'imprimeur : 379
Dépôt légal : décembre 1987. ISBN 2-85815-070-2. 4e édition. Dépôt initial avril 1984.

LIBRAIRIES, COMMANDES EN GROS : MESSAGERIES DU LIVRE - 8, rue Garancière 75006 PARIS - Tél. : (1) 46.34.12.80, et les agences régionales des PRESSES DE LA CITE.